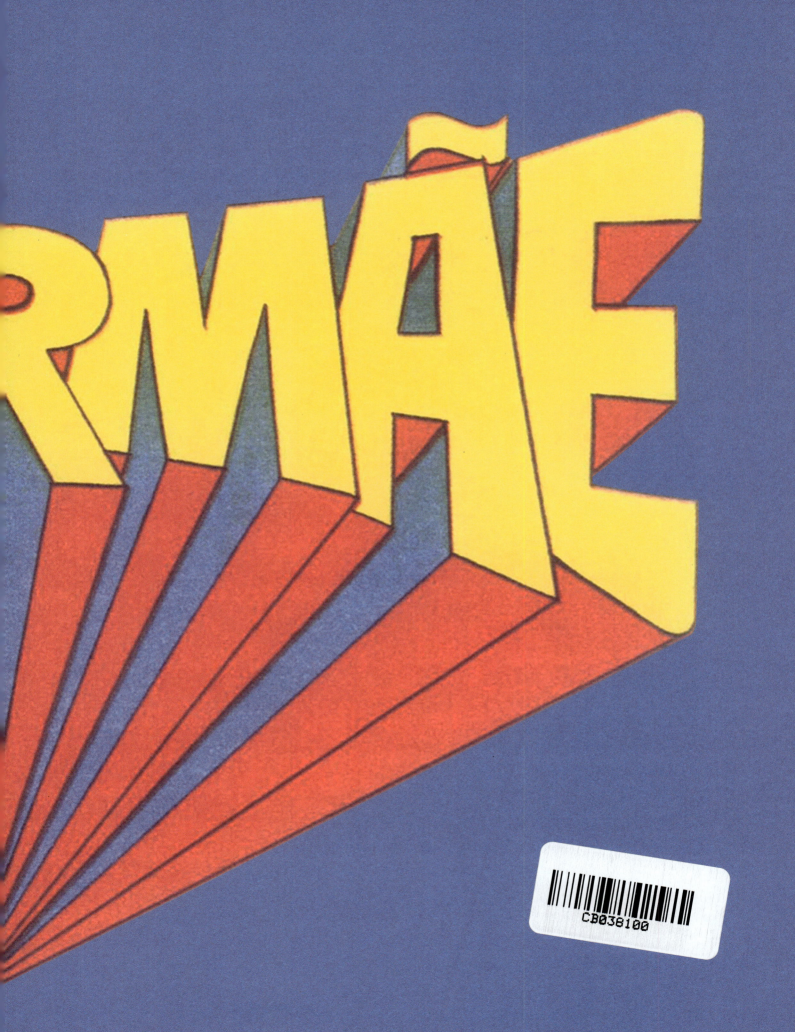

Para a minha querida tia Inês
Ziraldo

Agradecimentos especiais a
Regina Martins, Yvonne Prieto, Ota, Mig, João Antônio Buhrer e Gê Alves Pinto

IDEALIZAÇÃO
Tarcisio Vidigal e Paula Guatimosim

ORGANIZAÇÃO
Tarcisio Vidigal e Adriana Lins

PROJETO GRÁFICO
Manifesto / Adriana Lins e Guto Lins

RESTAURO DIGITAL E TRATAMENTO DE IMAGEM
Roberta Rosman

TEXTOS
Ziraldo
Adriana Lins e Tarcisio Vidigal
Guto Lins
Ricardo Leite

PESQUISA
Paula Guatimosim
Tarcisio Vidigal

REVISÃO
Sérgio Nascimento

Esta é uma edição fac-similar.
Os textos das tiras não foram corrigidos para a Nova Ortografia.

Demais textos, fixados conforme as regras
do Acordo Ortográfico da Língua Portuguesa

Foto das páginas 110/111: David Drew Zingg
Todos os direitos reservados.

© 2019 Ziraldo Alves Pinto
Todos os direitos reservados. Nenhuma parte desta
obra pode ser apropriada e estocada em sistema de
banco de dados ou processo similar, em qualquer forma
ou meio, seja eletrônico, de fotocópia, gravação etc.,
sem a permissão dos detentores dos *copyrights*.

Direitos de publicação:
© 2019 Editora Melhoramentos Ltda.
Todos os direitos reservados.

1.ª edição, maio de 2019
ISBN: 978-85-06-08419-9

Atendimento ao consumidor:
Caixa Postal 729 – CEP 01031-970
São Paulo – SP, Brasil.
Tel.: (11) 3874-0880
www.editoramelhoramentos.com.br
sac@melhoramentos.com.br

Impresso no Brasil

Dados Internacionais de Catalogação na Publicação (CIP)
(Câmara Brasileira do Livro, SP, Brasil)

Ziraldo
  The supermãe: almanaque 50 anos / Ziraldo Alves Pinto;
[ilustrações do autor]. – São Paulo: Editora Melhoramentos,
2019.

  ISBN 978-85-06-08419-9

  1. Histórias em quadrinhos - Literatura infantojuvenil
2. Literatura infantojuvenil I. Título.

19-25797   CDD-028.5

Índices para catálogo sistemático:
  1. Histórias em quadrinhos: Literatura infantil 028.5
  2. Histórias em quadrinhos: Literatura infantojuvenil 028.5

Maria Alice Ferreira - Bibliotecária - CRB-8/7964

Este livro foi composto em Athiti, Din e Ziraldo Irregular
e impresso pela gráfica Eskenazi sobre papel couché matte
150 g/m² (miolo).

São Paulo, 2019.

Pelas noites e noites
que passou em claro, balançando
meu pesado berço nas costas; pelas
412 fraldas que trocava
por minuto nas minhas fases
mais críticas; pelo que
deu de suas entranhas
e glândulas pra me alimentar
satisfatoriamente; pelas
600 toneladas de trouxa de
roupa que lavou pra fora para
me educar nos melhores colégios;
por ter ficado viúva no
primeiro dia e ter criado
sozinha todos os seus filhos;
por ter me livrado da maléfica
influência do meu pai;
por ter me protegido contra
os filhos da vizinha, todos
moleques; pelas inúmeras
professoras que agrediu pelos
zeros que levei; pelas infindas
reuniões que tumultuou na
Associação dos Pais dos Alunos
-que não perdia uma;
pelas lágrimas que verteu-
copiosas-no dia que me
viu namorando; pela rigorosa
seleção que fez das minhas
namoradas; pelas noras que
desaprovou, aos prantos e aos
berros; pelos cinco milhões
de quilômetros que marchou pela
família e pela liberdade;

pela carreira que escolheu (e exigiu) para mim, e eu não segui; pelas lágrimas subsequentes; pelas novas noites em claro que passa me esperando chegar da rua; pelas lágrimas subsequentes; eu não posso deixar de prestar esta sentida homenagem à minha querida súper-mãe!

Publicado originalmente no *Jornal do Brasil*, 12 de maio de 1968.

ALMANAQUE 50 ANOS

Tarcisio Vidigal e Adriana Lins (Org.)

Kriptonita, ou... de onde veio a Supermãe

Diz a lenda que, no final dos anos 1960, o Super-Homem apresentou ao mundo, retumbantemente resignado, a existência de uma mulher que o superprotegia com poderes ilimitados: a Supermãe. Nasciam nas páginas do *Jornal do Brasil* Dona Clotildes e Carlinhos. Teria também Clotildes vindo de Kripton? Seria Carlinhos o verdadeiro nome de Clark Kent?

Após 50 anos, o alter ego da Supermãe permanece um mistério. O autor, humildemente, se autoconsidera uma supermãe, e sua mãe, D. Zizinha, embora tivesse o biotipo da heroína, jamais assumiu seus superpoderes. Mãe apaixonada e orgulhosa de sete filhos, protegia sem sufocar e dividia com os filhos mais velhos a responsabilidade de monitorar os mais novos. Caridosa, D. Zizinha visitava presos e acolhia os necessitados. Espontânea, quando a saudade apertava, vestia três vestidos, um em cima do outro, e embarcava no ônibus rumo ao Rio de Janeiro e hospedava-se com algum dos filhos sem aviso prévio. E, diga-se de passagem, nenhum dos vestidos escondia o "S" e nem a capa da Supermãe.

Quando, aos 15 anos, mudou-se para o Rio – encorajado por D. Zizinha – a fim de completar seus estudos, Ziraldo foi acolhido por sua avó "Vozinha" e as tias que com ela dividiam um apartamento no bairro da Lapa. Primogênito inquieto e esperto, ele foi sempre a alegria da casa e o xodó de suas tias. Uma relação para além da edipiana, "editiana", embora nenhuma de suas numerosas tias fosse chamada Ana ou Edith. Primeiro neto e primeiro sobrinho, era paparicado por suas tias Filhinha, Dininha, Pureza, Inês, Santinha, Bebé, Lizota e Cici. Nenhuma delas tinha o nome de Clotildes ou um filho chamado Carlinhos.

Mesmo com os bons-tratos e os paparicos, aprendeu a se virar sozinho desde cedo e achava muito engraçado seus novos amigos cariocas, que tinham hora de voltar pra casa e morriam de medo da "mamãe". Ele cuidava dos irmãos, se mandara pro Rio sozinho deixando sua mãe chorosa na rodoviária de Caratinga – com um buraco no coração, nas palavras de D. Zizinha – e não tinha como não estranhar a falta de independência de "marmanjos" de sua mesma idade. Segundo ele, a semente da Supermãe foi plantada após essa constatação.

Leitor atento e curioso do mundo, se entregou de corpo e alma à tarefa de se interessar pelas pessoas e por seus personagens. E isso o fez colecionar, além de uma legião de fãs, amigos eternos. Amigos que invariavelmente passaram a fazer parte de sua cada vez mais numerosa família. Uma superfamília composta por superparentes, na qual Ziraldo é Superfilho, Supersobrinho, Superprimo, Superpai, Supertio e Superavô. Está sempre a par do que acontece com todos, telefona no meio da tarde pra saber se está tudo bem e hospeda aqueles que, como ele, estão correndo atrás de seus sonhos.

Seria a Supermãe a madre superiora do Nossa Senhora do Carmo de Caratinga? Ziraldo também era o xodó das freiras do colégio. Ou seria a Supermãe uma professora maluquinha na Mata do Fundão?

Ao longo dos anos, a Supermãe foi pouco a pouco ganhando identidade, ocupando cada vez mais espaço e criando empatia (olha a tia aí de novo) com outras supermães. Todas sempre achando que a nova namorada do Carlinhos é feita de kriptonita pura e que o efeito só termina quando virarem Superavós. Mas isso já é outra história.

O mistério continua.

Guto Lins
Designer, escritor e mestre em literatura

RESUMO: SÓ AGORA — Ó, SENHOR! — OS GODARIANOS DESCOBRIRAM QUE NATÉRCIA, SUA MUSA NACIONAL, — NO MOMENTO PRESTANDO SERVIÇO NA TV — FOI RAPTADA. É QUE ÊLES NÃO VÊM TELEVISÃO, NATURALMENTE. ENQUANTO ISSO, SUPERMÃE, QUE JÁ PEGOU O RAPTOR — SEU PRÓPRIO FILHO — TENTA SABER DÊLE POR QUE RAZÃO O MENINO PRATICOU SEMELHANTE DELITO. ASSIM:

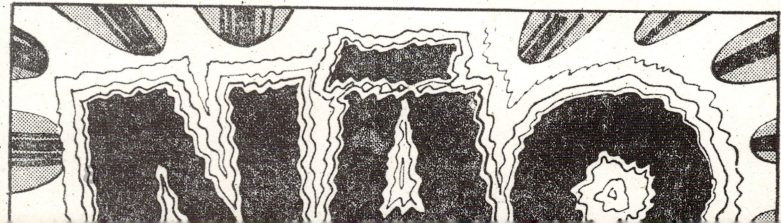

Ziraldo publicava cartuns e charges nas páginas do *Jornal do Brasil* em meados dos anos 1960. Começou com seu personagem **Jeremias, o Bom**, que, após anos de gentilezas e críticas de costumes, cedeu vez aos **Zeróis**, ávidos defensores das boas práticas. Além do traço inconfundivelmente ziraldiano, todos manifestavam o humor e a ironia de seu criador e cada vez mais se aprofundavam na linguagem de HQ. E com **The Supermãe** – que entrou na sequência dos **Zeróis** – o sucesso seguiu na mesma direção.

De 19 de maio de 1968 a 28 de dezembro de 1969, Ziraldo criou tiras semanais divertidíssimas da nova personagem. Eram tiras enormes que ocupavam a altura inteira da página do jornal. A primeira história publicada de Dona Clotildes, quase em ritmo de novela de rádio, durou uma temporada de 10 meses, dividida por capítulos. E, assim, a supermãe de Carlinhos teve tempo de se apresentar. Com seu carisma, conquistou fãs e ganhou fama.

Após os 39 capítulos de convivência dominical, as histórias aceleraram seu desfecho de humor e passaram a começar e terminar em uma mesma página. Os assuntos giravam sempre em torno da possessividade da mãe zelosa, que via no filho adulto seu eterno bebê, carente de seus cuidados. E também das angústias do filho, tentando cortar o cordão umbilical, mas confortável na posição de seleto protegido.

Esse novo formato – de uma história por domingo – durou o tempo de uma gestação, quando então as aventuras de Dona Clotildes e seu filho Carlinhos mudaram de casa para ocupar a páginal final da revista *Claudia* (editora Abril). Estrearam em Technicolor – era março de 1970 –, permanecendo, no mínimo, 30 dias em cartaz, até a chegada do número seguinte. Terminaram a temporada em dezembro de 1984.

Agora **The Supermãe** completa 50 anos. Mas a personagem de Ziraldo é atemporal e eterna. Assim como a genialidade de seu autor.

Nesta edição comemorativa, trouxemos histórias coloridas, curiosidades, alguns capítulos da longa história nº 1 e os primeiros esboços de várias ideias. Reproduzimos a partir de artes-finais ou de páginas impressas dos originais já perdidos no tempo. Tudo para registrar a criatividade e o estilo de um dos maiores desenhistas do Brasil. Ou melhor, os estilos. Pioneiro nas artes gráficas, Ziraldo passou a influenciar gerações com sua expressividade tipográfica. As letras das falas são quase personagens! O título das páginas de nossa heroína, por exemplo, varia de acordo com o contexto. E as riquezas de detalhes no traço ou as expressões sutis de um olhar, de um canto de boca, de uma sobrancelha compõem fortemente a narrativa.

Observador nato, ilustrador, designer, escritor... Rapidamente dominou a linguagem e a dinâmica dos processos de impressão e já pensava em "camadas" ou em "copia-cola" durante seu processo de criação de imagem (e isso muito antes de qualquer software ser desenvolvido). Vemos aqui adaptações de histórias PB do jornal para o novo formato colorido da revista, às vezes 10 anos depois de terem sido criadas. Percebemos, com nitidez, o prazer de quem realiza um sonho de infância – iniciado em 1960 com **A Turma do Pererê** – que foi sendo lapidado e ganhou expressão completa com **The Supermãe**. Ziraldo tornava-se desenhista de histórias em quadrinhos.

Tivemos grande satisfação ao navegar por 16 anos desse humor aguçado e estético.

A seleção apresentada nas próximas páginas narra a "saga materna ziraldiana" de uma forma ora emocional/temática, ora linear/cronológica e, ora visual pelas afinidades de estilo.

Os textos, inéditos, falam dos personagens, mas também revelam sutilezas maravilhosas do autor... Possíveis de serem observadas e tão bem contadas só por quem é mesmo muito fã e tem a chance de conviver de perto com Ziraldo.

Aproveitem! Morram de rir.... Se deliciem.

P.S.: Talvez, depois deste livro, algumas mulheres até se tornem melhores mães...

Adriana Lins e Tarcisio Vidigal

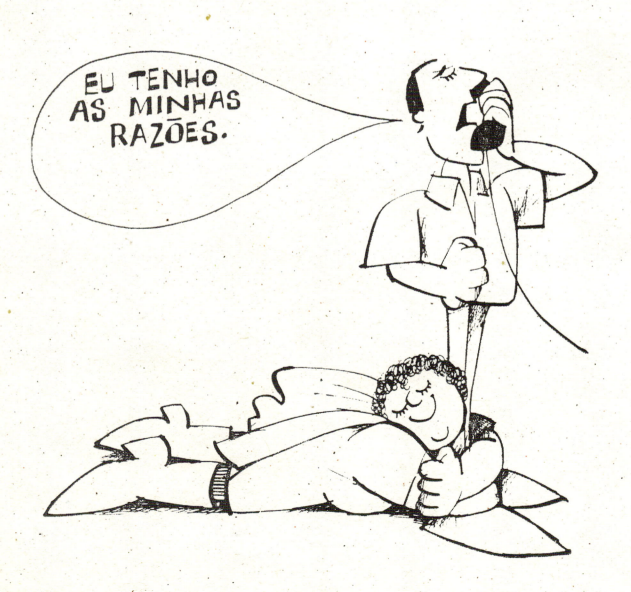

Esta é Dona Clotildes Rebouças, zelosa e eficiente funcionária do Departamento de Correios e Telégrafos. D. Clotildes guarda consigo um enorme segrêdo: tôda vez que o dever chama por ela, D. Clotildes grita sua palavra mágica...

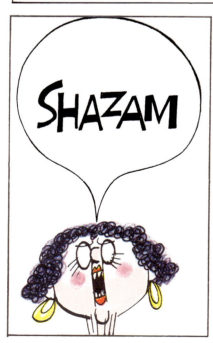

...e se transforma em...

SUPER-CARINHOSA SUPER-PROTETORA SUPER-ZELOSA

SUPER-ATENTA

SUPERMÃE ESTARÁ TODOS OS MESES NAS PÁGINAS DE **CLAUDIA**. AQUI CONTAREMOS TÔDAS AS SUAS AVENTURAS (DELA E DO CARLINHOS, SEU DILETO FILHO). VOCÊS VÃO SE DIVERTIR COM AS HISTÓRIAS DA SUPERMÃE! MAS, ANTES DE TUDO, QUEREMOS FAZER UMA PEQUENA ADVERTÊNCIA À LEITORA DE CLAUDIA: MUITO CUIDADO! NÃO CORRA O RISCO DE SE DISTRAIR E PRONUNCIAR, SEM QUERER, A PALAVRA MÁGICA DE D. CLOTILDES. VOCÊ, TAMBÉM, PODE SER UMA SUPERMÃE...

Artes publicadas originalmente na revista Claudia, março de 1970.

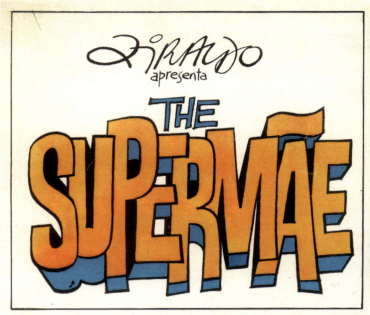

Páginas da revista *Claudia*, abril de 1970.

SUPERMÃE

"ACABOU. PRONTO. VOCÊ ME CONHECE, NATÉRCIA. SABE COMO EU SOU..."

"DECIDI, TÁ' DECIDIDO! **CLARO!** EU SEI O QUE FAÇO..."

"NÃO ADIANTA, NATÉRCIA. NÃO QUERO MAIS FALAR NO ASSUNTO!"

"FIM!"

"NÃO. E ACHO QUE NÃO TENHO EXPLICAÇÕES A LHE DAR."

"EU TENHO AS MINHAS RAZÕES!"

THE SUPERMÃE

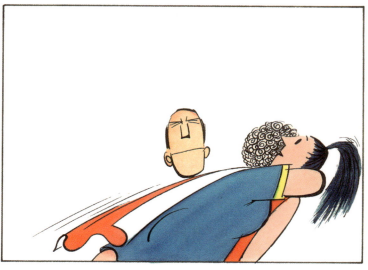

THE SUPERMÃE

—NÃO REPARE, NÃO...
FOI MAMÃE QUE DECOROU
O QUARTO...

THE SUPERMÃE

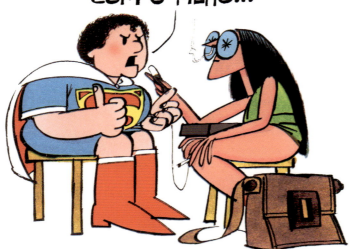

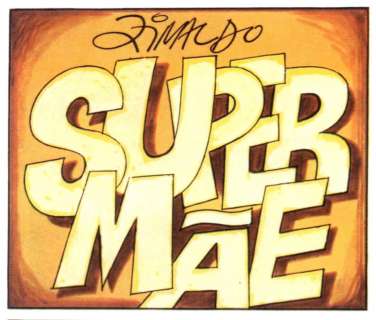

THE SUPERMÃE

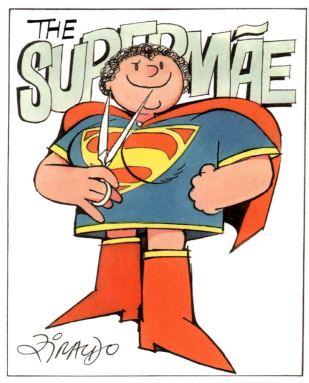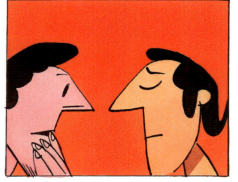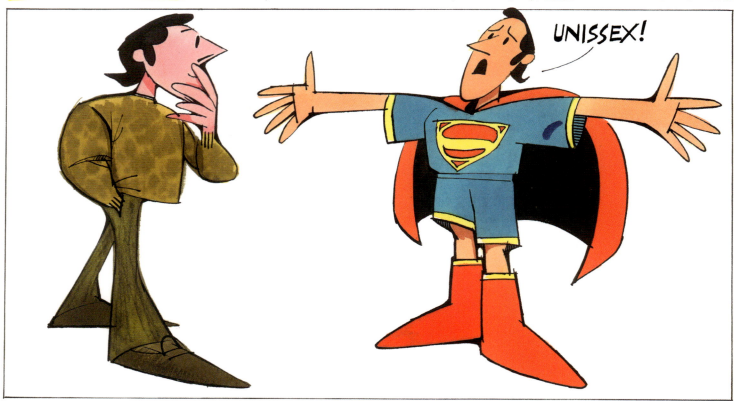

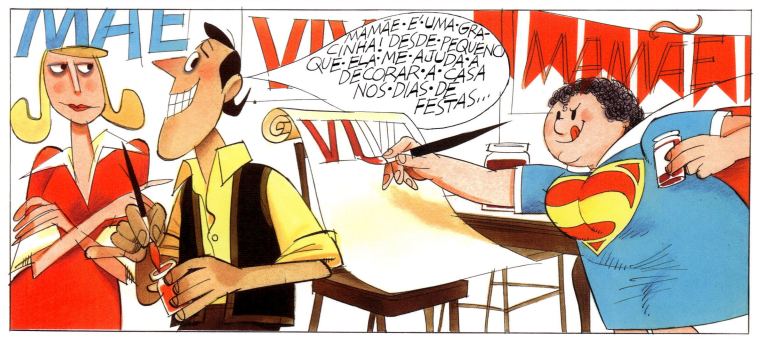

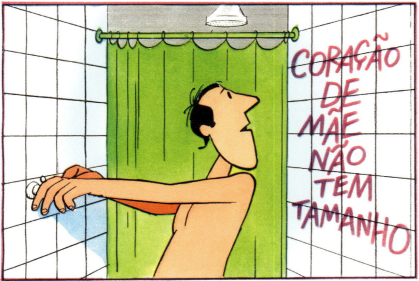

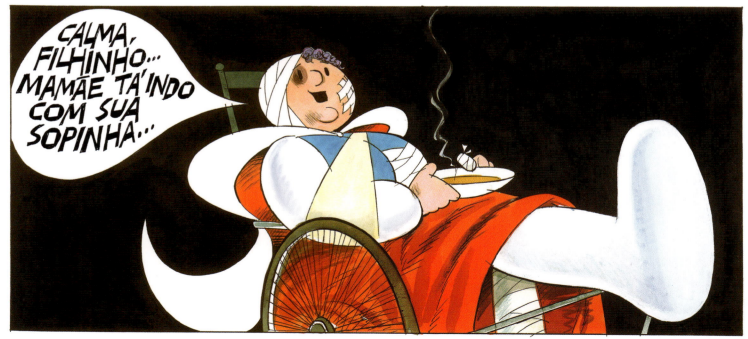

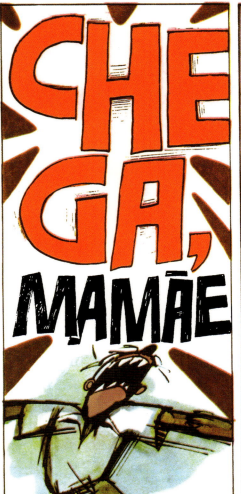

THE SUPERMÃE

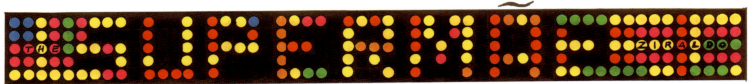

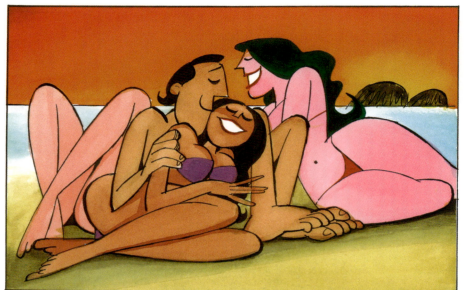

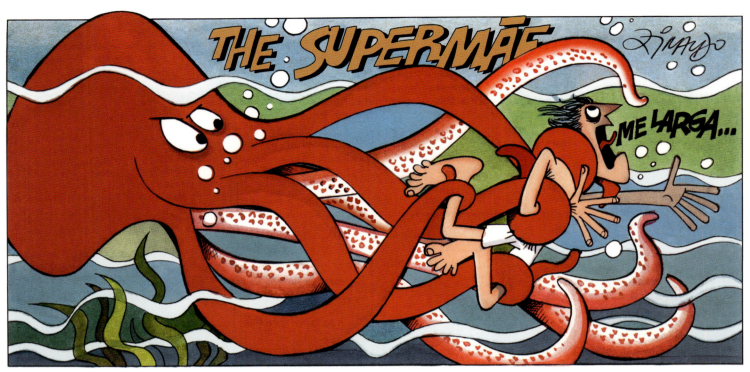

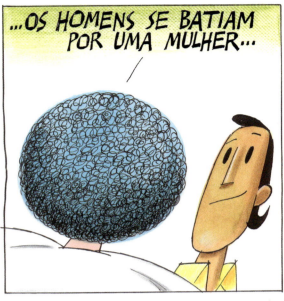

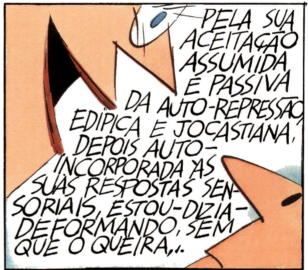

The SUPERMÃE

MAMÃE VAI FICAR VERDE!

E SE ELA FICAR ROXA?

COISA MAIS DIFÍCIL DO MUNDO É DAR UMA NOTÍCIA TRÁGICA...

PORQUE LOGO EU, MEU DEUS, É QUE TENHO QUE FAZER ISTO?...

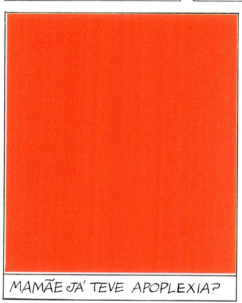
MAMÃE JÁ TEVE APOPLEXIA?

E SE ELA FICAR TODA BRANCA?

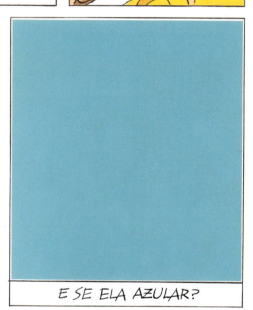
E SE ELA AZULAR?

SEJA O QUE DEUS QUISER! VOU CONTAR...

MAMÃE... VOU ME CASAR NO MÊS QUE VEM!

NANÁ A NORA & SUPERMÃE

TEM DUAS HORAS QUE ELAS ESTÃO TREINANDO CARAS E BOCAS... É QUE HOJE É O DIA EM QUE EU VOU APRESENTAR UMA À OUTRA.

SUPERMÃE & NANÁ, A NORA

NANÁ, MEU ANJINHO, ATENÇÃO PARA OS ÚLTIMOS CONSELHINHOS DE SUA SOGRINHA QUERIDA: ENTRE CONFIANTE NA IGREJA, COM SEUS PASSINHOS FIRMES, CALCANHAR BEM NA FRENTE DO DEDÃO, PRA FICAR ELEGANTE, SORRIA BEM BONITINHA, NÃO OLHE PARA O CARLINHOS LÁ NO ALTAR, POIS DIZEM QUE DÁ AZAR OLHAR PARA O NOIVO NO MEIO DA IGREJA, LEMBRE-SE QUE VOCÊ DEVE FICAR À DIREITA DELE E NÃO SE ESQUEÇA DE QUE O CARLINHOS NÃO GOSTA DE CEBOLA NO BIFE, DETESTA CAFÉ FRIO, QUER SEMPRE POUCO SAL NOS OVOS, AS CUECAS SEMPRE DOBRADINHAS NA GAVETA, ACORDA SEMPRE MAL-HUMORADO MAS PASSA LOGO, É SÓ DAR UM SUCO DE LARANJA; AH, SIM... ELE SE RESFRIA ATOA MAS BASTA UM CHAZINHO DE ALHO E

SUPERMÃE

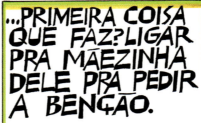

NANA, A NORA DA SUPERMÃE

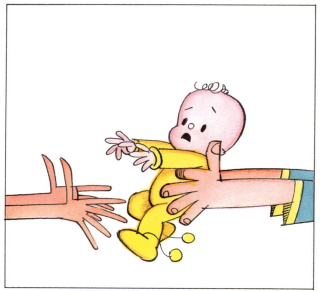

The Supermãe fez parte de uma geração que se formou durante 16 anos de convivência. Foram muitas histórias... Agora, a geração do século XXI tem a chance de conhecê-la! Nas próximas páginas, alguns superdetalhes da nossa heroína.

Eis aqui como tudo começou, ainda com uma linguagem bem semelhante a das tiras de **Os Zérois**. Nestas duas páginas, reproduções dos três primeiros capítulos impressos no *Jornal do Brasil*, em 1968.

Ao lado, os desenhos originais, as artes-finais que seriam transformadas em filme (fotolito), gravadas em uma chapa e impressas no jornal. As duas imagens maiores são uma única tira, um dos muitos capítulos da primeira história, quase em seu tamanho real. A menor, uma tira da segunda temporada: histórias curtas que valorizam a piada.

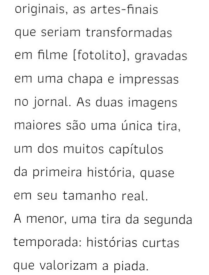

ZIRALDO, meu superfilho

Uma curiosidade que todas nós temos: afinal, teria o Ziraldo se inspirado em sua própria mãe para criar a figura da Supermãe? Dona Zizinha, a mãe de Ziraldo, satisfaz esta nossa curiosidade num depoimento à repórter Beatriz Horta.

"Eu não sou a Supermãe, mas ele, sim, é o Jeremias, o bom!"

Trechos e imagem da entrevista a Beatriz Horta para a Revista Claudia, em maio de 1977. Fotografia de David Drew Zingg.

"Tive e tenho muitas alegrias na minha vida, mas nenhuma igual à daquele dia 24 de outubro de 1932, quando nasceu o meu filho, o Ziraldo. Eu tinha 21 anos, casei com 18, e nós demos a ele esse nome porque é a soma de Zizinha com Geraldo, meu marido."

"Eu não criei filho nenhum para ser médico, engenheiro; cada um escolheu o caminho que quis, e eu sempre aprovei. Mas, quando Ziraldo, com 15 anos, resolveu ir para o Rio de Janeiro sozinho, para trabalhar, me fez um rombo no coração. Logo ele, o filho mais velho, o meu companheiro para tudo? Era para a felicidade dele e eu tinha que deixar."

"Eu e ele... sempre fomos muito apegados; as pessoas riam de mim, porque aonde eu ia carregava a filharada toda atrás. Quando aparecia o Ziraldo, elas perguntavam: 'É esse o menino inteligente da Zizinha?'. Eu concordava, ele era mesmo muito inteligente, e a gente deve reconhecer a verdade, não é mesmo, minha filha?."

"... amor de mãe é diferente, não tem outro igual ... Só que eu nunca me vi como uma supermãe; acho que esse desenho que ele faz para a revista é uma beleza, mas, se é para parecer comigo, só se for por ser baixinha e gordinha."

"... ah, o Ziraldo. Sou a primeira fã dele, e quer saber do que mais? Eu não sou supermãe nenhuma, ele é que é superfilho."

Publicado originalmente no jornal *O Pasquim*, 9 a 15 de maio de 1972.

* Broche impresso em metal, anos 1980.
* Capa para a revista *Domingo*, 1991.
* Livro comemorativo de 10 anos na *Claudia*, 1981. Vendido, na época, tanto em livrarias quanto em bancas ou por reembolso postal.
* Livro promocional para os assinantes do jornal *Estado de Minas*, 1996. Imagens selecionadas por Ziraldo.
* Estudo para uma possível versão espanhola.
* Capa de caderno, 1978, Ed. Melhoramentos.

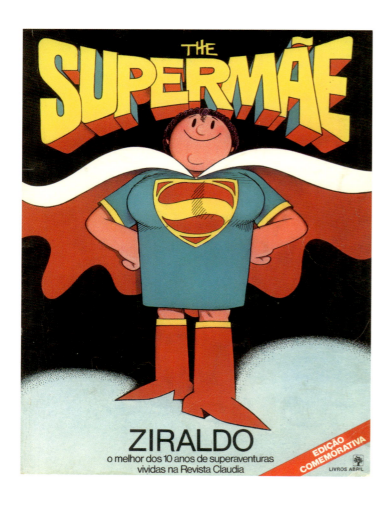

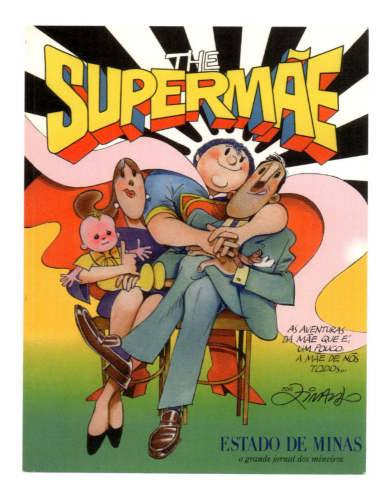

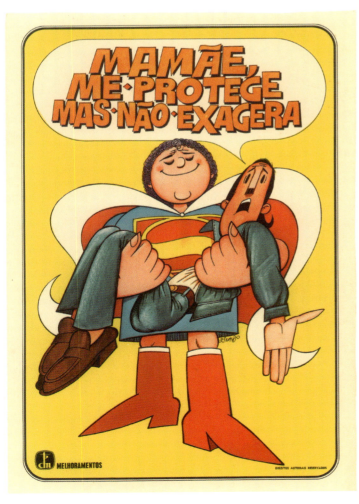

* Troféu HQMix, o Oscar dos quadrinhos brasileiros. Versão 2016, de Olyntho Tahara, em homenagem à Supermãe.

Ziraldo e seus super logos para The Supermãe

Ziraldo entende mesmo de super-heróis!

Se você conhece a lendária série de cartuns "Os Zeróis", também nomeada "Pôsteres dos Pobres" no jornal *O Pasquim*, não tem dúvida disso! Mas, se não conhece, corra mais rápido que uma bala e o faça! Não é à toa que, quando a Supermãe foi publicada pela primeira vez, os Zeróis é que a apresentaram para nós, simples mortais.

Que o Ziraldo é um superartista, ah... isso é supersabido! Seu virtuosismo nos desenhos, tão estilizados quanto orgânicos, mesclando retas e curvas como poucos conseguem, lhe confere um estilo único e inconfundível até mesmo para quem é de Kripton. Nem precisa ter visão de raio X para reconhecer imediatamente um desenho dele.

Sempre invejei a espontaneidade de seu traço e sua pintura, recursos dos quais só os que têm total segurança das formas e das técnicas lançam mão. É mesmo coisa de outro mundo... Uma das belezas deste livro é revelar alguns estudos dos desenhos preliminares ainda a lápis. Essa cozinha de suas criações deixa claro que a arte-final, que parece ter sido feita com traços tão espontâneos, foi planejada e desenhada detalhe a detalhe. Ver esses lápis é como descobrir a identidade secreta do Super Ziraldo.

Como todo bom amante das histórias em quadrinhos, Ziraldo conhece o poder das onomatopeias. **BUM! CRASH! ARGH! FON FON! AAAIII! MÃE!!!** Letras e raios coloridos ampliam o som – apesar de não ouvirmos nada! –, mas, com o grande impacto visual, sentimos cada um desses ruídos. Ao transformar cada letra em objetos onomatopaicos, Ziraldo nos joga dentro do planeta Gibi que povoa as memórias mais deliciosas de nossas infâncias. E seus balões? Com uma forma exclusiva e autêntica, envolve os textos, que recebem uma caligrafia que parece dançar até se acomodar dentro deles. Com a precisão do bom tipógrafo que é, em seus quadrinhos, balões e falas são interdependentes e feitos uns para os outros.

As páginas da Supermãe estão realmente cheias de possíveis maravilhosas descobertas gráficas, mas os títulos de cada prancha merecem atenção! São uma viagem tipográfica ímpar!

Em cada uma delas, os logotipos são tratados individualmente. Contrapondo-se à maioria dos logos de outros personagens de quadrinhos, padronizados e fixos, os da Supermãe nunca se repetem, pois sempre têm a função de ilustrar. Isso vai ao encontro da busca incansável de Ziraldo em inovar e nos surpreender. Variando os logos, ele nos proporciona um novo elemento de interesse e prazer estético-conceitual.

A tipografia é um dos elementos-chave que nos permitem reconhecer, com propriedade, os trabalhos de Ziraldo. Ao tratar cada título de uma forma única, também explora ali seu potencial como tipógrafo. Ao desenhar cada letra manualmente, o cartunista apresenta os logos com alinhamentos e proporções especiais. Apela para letras irregulares, umas mais altas que outras, trata títulos e textos como se fossem cartuns. O logotipo pode partir de um só ponto de fuga, gerando a perspectiva explosiva bastante usual em logos dos super-heróis das HQs – talvez para divertir e ironizar esses personagens que se acham tão poderosos. Mas, ao escrever em espanhol, o efeito é diferente: ele desconstrói as perspectivas de cada letra e sugere um lado multifacetado e dinâmico para à personagem.

Para Ziraldo, cada um desses logos está intimamente vinculado ao tema proposto e às ilustrações da página. Ao serem customizados, passam a fazer parte da ilustração e reforçam ou harmonizam o tema das páginas. Um deleite a mais para nossos olhos... Detalhes que, ao serem percebidos, nos fazem abrir um sorrisinho na mente. Faça a leitura de cada prancha da Supermãe, aprofundando seu olhar no universo paralelo que cada logo nos convida a visitar.

Quer algumas pistas? O tema é carnaval, então ele faz o logo com confetes. Literalmente colou confete a confete para escrever "Supermãe" e assinou dentro deles. E, depois, colocou pontos coloridos entre palavras nos textos dos balões. Tudo pensado para ampliar sutilmente a ideia da piada. Outro bom exemplo é quando Ziraldo empresta as estrelas e a noite à tarja superior que abriga o logo. Ou quando o logo se molda à forma do guarda-chuva de onde, na sequência, saem os textos das falas que flutuam para o alto dos balões. É como se os textos desejassem sair voando, sendo, no entanto, contidos por seus limites. Sutilezas que nos permitem compreender que tudo está interligado em suas criações. Impossível dissociar as ideias dos desenhos, assim como ambos determinam a tipografia de cada logotipo e dos textos em geral.

Mas, afinal, além de conhecer super-heróis e quadrinhos, explorar magnificamente a tipografia, criar personagens antológicos e desenhar como um ser vindo de outro planeta, qual superpoder faz Ziraldo ser... o Ziraldo? Arriscaria responder que sua principal força vem do fato de que ele entende de gente! Sim, ele entende a gente, nossas questões e nossos desejos mais íntimos. E, lá no fundo, rimos das piadas, porque todos temos ou sentimos falta de ter uma supermãe em nossas vidas e acabamos nos reconhecendo na pele do Carlinhos, o filho, ou da Naná, a nora. Bem, algumas pessoas talvez até se identifiquem com a Supermãe...

É... Ziraldo entende mesmo de super-heróis!

Super-heróis fazem parte do seu universo de conhecimento a tal ponto que, ao buscar o melhor superpoder para um novo personagem, ele criou a maior super-heroína de todos os tempos: uma mãe!

Ricardo Leite
Designer, ilustrador e quadrinista

THE SUPER MÃE & NANÁ 'A NORA

E quero desejar um Feliz Ano Novo para a minha querida tia Maria, para as primas Filhinha, Dininha, Ignês, Santinha, Bebé, Lizota, Cici, para o Wilsinho, o Maninho, o Reném, a Zizinha, o Manizinho, a Jaci, a Naidia, o Sérgio, a Sônia, todas as Sônias. E mais: Silvio, Maria Elisa, Adriana, Frederico, Gugu, Vilma, Daniela, Fabizia, Antônio, Zizi, Mabel, André, Juliana, Ana Maria, Zélio, Ciça, Aninha, Pedro, Fernando, Lelena, Ronaldo, Guilherme, Ronaldinho, Danilo, Elson, Bebete, Geraldinho, Stela, Daniel, Lorena, Didi, Rey, Ruizinho, Tânia, Gilson, Fernanda, Fabiana, Breno, Breninho, Miriam, Simone, Alexandre, Bárbara, Gaia, Andréia, Marcelo, Marçal, Victor, Marta, Murilo, Felícia, Maria da Glória, Elena, Marco, Quiquica, Tonico, João, China, Elizabete, Celina, Geralda, Biguá, Anita, Alan, Helena, Renzo, Leonora, Mário, Galileu, G. Lorinha, Jacqueline, Galeuzinho, Pedrinho, Moacir, Rosita, Bill, Nicola, Heloisa, Joãozão, Joãozinho, Maria Célia, Thiago, Henrique, Maria Ida, Zé Romão, Nierzi, Rubens, Ramon, Humberto Luiz, Emi, Chico da Sacota, Farolete, Fabinho, Salatiel, Dênio, Enio, Adão, Eva, Nicota, Afonso, Jesus, João Permanente, Golofante, Finho, Chaguinhas, Altair, Nini, Nair, Kate, Maria do Carmo, Didi do Ramos, Eborina, Ruy Castro, Castor, Wagner, Cristina, Faridinho, Querida, Monsenhor Rocha, Dona Isabel, Zoila, Manoel Ribeiro, Virginia, Juliano, Hélcio, Mário de Andrade, Grasseti, Martha, os meninos todos, Zito, Cristina, Márcia, Rodolfo, Fátima Ali, Thomas, Alberto, Marília, Pabla, Gessy, Mariana, Zélia, Tueta, Edith, Ecléa, Ione, Therezinha, Borres, Alain, Marcão, Andrezinho, Babau, Fiana, Ana Lúcia, Marina, Maria Alice, Raimundo, Lenita, Ricardo, Jerry, Ellen, Luiz, Sandra, Fábio, Armando, Apoena, Darick, Sylvia, Sammi, Marcos, Sonny, Otto, Fernando, Pelegrino, Paulinho, Etienne, Carlos, Drummond, Maria Julieta, Dolores, Guguta, Norma, Mary, Zuzu, Elisa, Milton, Cara, Jaguaribe, Mara, Ernani, Reinaldo, Cláudio, Chico, Eliana, Paulo, Angelli, Reginaldo, Laerte, Clodette, Juarez, Luiz Fernando, Anísio, Jô, Agildo, Regina, Paulinha, Jaquinho, Luizinho, Romana, Flávia, Wilson, Solange, Cláudia, Bernadete, Henrique, Leili, Francisco, Panço, Maria, Rafael, João Bosco, Sávio, Raul, Leandro, Fi... zer, Nilma, Zeca, Betty, Edu, Adil... Quico, Pinh... Ju-nia, Valentina, Emiliano, Marly, Luiza, Pitucha, Bruno, Julieta, Patrícia, Galdina, Vlé, Mauri, Vanessa, Carlão, Ben, Cacamo, Pilar, Bianca, Margarida, Daniele, Elvirinha, Isabel, Pedro, Regastein, Francis, Tatiana, Ivan, Jun, Sdrous, Carlinhos, Sette, Arnaldo, Aderaldo, Cabedo...

OH... ESQUECI A NANÁ'!

ZIRALDO